Bies van Ede

De laatste trein

met tekeningen van
Camila Fialkowski

Op de cd staat een korte leesinstructie bij dit boek.
Daarna leest de auteur het eerste hoofdstuk voor.
Kijk op de cd welk nummer bij dit boek hoort.

Achter in het boek zijn leestips opgenomen voor ouders.

Boeken met dit vignet zijn op niveaubepaling geregistreerd
en gecontroleerd door KPC Groep te 's-Hertogenbosch.

1e druk 2007

ISBN 978.90.276.7327.5
NUR 286/282

© 2007 Tekst: Bies van Ede
Illustraties: Camila Fialkowski
Leestips: Marion van der Meulen
Vormgeving: Natascha Frensch
Typografie Read Regular: copyright © Natascha Frensch 2001 – 2006
Uitgeverij Zwijsen B.V. Tilburg

Voor België:
Zwijsen-Infoboek, Meerhout
D/2007/1919/203

Inhoud

1. Voetstappen in de verf   5

2. Struwen Bart   10

3. Spoken?   14

4. Schaduw op de muur   19

5. Een schreeuw in de nacht   26

6. Een ijzeren monster   30

7. De verdwijning van de Rosa   34

8. Dit gelooft geen mens   38

1. Voetstappen in de verf

'Daan, pas op: van onderen!'
Daan sprong opzij en hij was net op tijd.
De oude, houten ladder waar een emmer witte verf aan
hing, kraakte gevaarlijk.
De ladder schoof langs de muur.
Oom Hans wilde hem nog tegenhouden, maar hij was
te laat.
Er klonk een doffe klap toen de emmer op de vloer viel.
De emmer kantelde en liep leeg.
Een enorme golf verf sloeg over de tegelvloer.

Daan en oom Hans keken naar de puinhoop.

De hal van het oude station was zo mooi geweest.

Hij was prachtig opgeknapt en helemaal nieuw gemaakt.

Nu zag de hal eruit als een leeggelopen melkfabriek.

'Nou,' zei oom Hans, 'dat wordt morgen opnieuw beginnen.'

'Morgen?' vroeg Daan, 'gaan we nu niet opruimen?'

Zijn oom schudde nee en zei: 'Het is te laat, ik ben doodmoe en jij moet ook naar je bed.'

Het was al donker buiten.

Daan keek door het raampje van zijn slaapkamer.

Hier hadden vroeger de hendels gestaan om de wissels om te zetten.

Hij vond het een gek idee: slapen in een oud treinstation.

Oom Hans had altijd rare dingen, maar dit was wel het raarste.

Een leeg station in Groningen kopen.

Wie kocht er nou een leeg treinstation om in te wonen?

Daan kroop in zijn slaapzak toen hij zijn oom hoorde komen.

Oom Hans ging op de grond naast Daans luchtbed zitten.

'Ik ben altijd dol geweest op **stationnetjes**,' zei hij.

'Vraag me niet waarom, het ís nou eenmaal zo.

En ik vind het leuk dat jij hier als eerste komt logeren.

De rest van de familie vindt me maar een idioot.'

'Ikke niet!' zei Daan, 'ik vind het hier hartstikke gaaf!'

Oom Hans gaf hem een aai over zijn haar en liep de
kamer uit.
Het station wás ook gaaf.
Er was een grote hal met loketten, er waren wachtkamers
en er waren ook kantoortjes en opslagruimten.
Je kon van alles doen in zo'n station.
Alleen in de stationshal kon nu even niets meer, die
droop van de verf.
Het was wel jammer van al het werk.

Daan werd wakker en tilde zijn hoofd op.
Hij had geslapen en gedroomd, en hij was wakker
geworden van zijn droom.
Er was een geluid geweest, maar dat kon hij ook
gedroomd hebben.
Of droomde hij niet en was oom Hans toch begonnen
de hal schoon te maken?
Daan gleed uit zijn slaapzak en ging op zijn blote voeten
de slaapkamer uit.
Hij sloop zonder het zelf te weten.
De gang was schemerig blauw verlicht, misschien door
de maan.
Bij de deur van de hal was het geluid duidelijk te horen.
Daan wist alleen niet wát hij hoorde.
Hij deed de deur voorzichtig open en keek de hal in.
De hal was leeg en verlaten.
Er was helemaal niemand: geen oom Hans te zien.
Maar er was wél iemand.

Er liep iemand door de verf die nog steeds nat was.

Daan zag voetafdrukken verschijnen: witte voetstappen in de witte verf.

Een onzichtbaar iets – of iemand – liep over de verflaag in de stationshal.

Hij hoorde een zacht plakgeluid.

Daans haren stonden recht overeind.

Hij wilde het niet geloven, maar alles in hem gilde het uit: spook, geest!

Hij vluchtte terug naar zijn kamer en verborg zich in zijn slaapzak.

2. Struwen Bart

De volgende ochtend was Daan al vroeg wakker.
Het spook, was het eerste wat hij dacht.
Had hij de voetstappen in de verf echt gezien of was het
een droom geweest?
Hij móést het weten.
Op blote voeten holde hij naar de hal, hij gooide de deur
open en keek.
Er was niets bijzonders te zien, behalve de plas
halfdroge verf.
De voetstappen waren verdwenen.

'Daan, ga je mee naar de supermarkt in het dorp?' vroeg
oom Hans na het ontbijt.
Toen ze buiten stonden, keken ze naar de **spoorrails**
naast het station.
Ze waren overwoekerd met struiken en onkruid.
'Ik heb nog een verrassing,' zei oom Hans, 'over drie
dagen houden we hier een stoomfeest.'
Daan fronste zijn voorhoofd.
Wat was nou weer een stoomfeest?
'Ze gaan een oude **stoomlocomotief** op het spoor
zetten,' legde oom Hans uit.
'En die kunnen de mensen dan hier op het **perron**
bekijken.
Spannend, hè, zo'n grote, oude **locomotief**?'

Op weg naar het dorp dacht Daan na over afgelopen nacht.
De hele ochtend had hij erover willen beginnen, maar hij durfde het niet.
Hij was bang dat oom Hans hem zou uitlachen.
Daan dacht ook over het stoomfeest.
Hij had nog nooit in een stoomtrein gezeten; dat leek hem wel spannend.
Zwijgend kwamen ze in het dorp Eemsum aan.

Eemsum was een klein dorp waar iedereen elkaar kende.
Oom Hans zei de mensen goeiendag, stak zijn hand op of knikte.
Het viel Daan op dat de mensen hen een beetje vreemd aankeken.
Toen hij er iets van zei, antwoordde oom Hans:
'Jongen, de mensen kletsen in dit soort dorpjes.
Dat komt omdat er nooit wat gebeurt.
Ik ben een vreemdeling en ik woon óók nog eens in het oude station.
Ze zeggen dat het er spookt.'
Hij grinnikte en zei: 'Ik zal je vanavond het verhaal van het spook vertellen.'

Het verhaal van ... het verhaal van het spook, het bleef maar in Daans hoofd rondzingen.
Bij spoken dacht hij aan kerkhoven, **ruïnes** van kastelen en verlaten huizen.

En het station wás een verlaten huis, dacht hij opeens
geschrokken.
Dat hij de voetstappen in de verf niet gedroomd had,
wist Daan nu zeker.
Waarom had oom Hans hem niet verteld dat er een
spook in het station was?

Ze deden boodschappen in een supermarkt.
De eigenaar van de supermarkt zat achter de kassa.
Hij zei: 'Zo, dus je neef komt het stoomfeest ook
bezoeken?'
Daan en zijn oom knikten.
'En ben je niet bang dat je het spook van het station
wakker maakt met die herrie van **locomotieven**, stoom
en toeschouwers?'
Oom Hans lachte: 'Het is hier zo'n dooie boel dat dat
helemaal geen kwaad zou kunnen.'
De winkelbaas keek hem even aan en zei toen: 'Zolang
je Struwen Bart maar met rust laat, want als die gaat
rondspoken ...'
Hij grinnikte opgewekt, maar Daan zag dat hij het
niet meende.
Struwen Bart, wat een akelige naam, dacht Daan.

3. Spoken?

Ze hadden de hele dag in de stationshal geboend.
De verf ging gelukkig makkelijk weg.
En spookachtige voetstappen had Daan nergens gezien.
Oom Hans keek tevreden rond.
'Nu kunnen we in elk geval de bezoekers van het
stoomfeest ontvangen,' zei hij.
'Als je wilt, mag jij kaartjes verkopen.
Of ze knippen, natuurlijk, dat mag ook.'

Nu zaten ze in de schemering op het **perron**.
De kolen van de barbecue gloeiden.
Het **perron** leek eindeloos lang in het donker en
Daan rilde.
Hij stelde zich voor dat er zomaar uit het niets een
stoomlocomotief kwam aanrijden.
Als een geest in de nacht, met wolken stoom en met
eng lamplicht kwam hij binnenrijden.

'Ik zou je het spookverhaal nog vertellen,' zei oom Hans.
'De baas van de supermarkt heeft het verhaal aan
míj verteld.
Bijna zestig jaar geleden reed de laatste stoomtrein
in Nederland.
Daarna kwamen er **elektrische** treinen die bovenleidingen
nodig hadden.

Dat was te veel moeite, omdat hier weinig reizigers waren.

Ze besloten de spoorlijn op te heffen en het station te sluiten.

Voor de laatste rit van de trein werd een **machinist** gevraagd, die in het dorp woonde.'

Oom Hans grinnikte en zei: 'Struwen Bart heette hij.

In deze dorpjes heeft bijna iedereen een bijnaam.

Bart was nogal dol op pannenkoeken.

Struwen zijn een soort pannenkoeken, vandaar.'

O, dacht Daan, dat valt dan weer mee.

Hij had bij struwen aan 'gruwen' gedacht.

'Bart zou de trein van Eemsum naar Warffum rijden,' vertelde oom Hans.

'Maar Bart was te laat.

Het was het ergste wat een **machinist** kan overkomen: te laat zijn voor je eigen trein.

Ze zeggen dat hij van schaamte nooit meer buiten is geweest.

Hij heeft zich letterlijk dood geschaamd.

En sindsdien zit hij als spook op dit station, zeggen ze.'

Een paar kooltjes knapten en een kille wind stak op.

'Kom,' zei oom Hans, 'we gaan naar binnen, ik krijg het koud.'

De woonkamer was vroeger de wachtkamer eerste klas.

Oom Hans had er niet veel aan veranderd.

Je kon nog goed zien dat dit een wachtkamer was
geweest.
Een wachtkamer met een open haard, dat was wel deftig.
'Die haard kwam tevoorschijn achter een muurtje,' had
oom Hans verteld.
Daan keek hoe oom Hans het vuur aanstak.
Hij vroeg zich af wat er nog meer achter muren vandaan
kon komen.
Zaten er misschien skeletten van **treinreizigers** achter?
Had oom Hans de geest van Struwen Bart per ongeluk
losgelaten toen hij dat wandje sloopte?
Het zou allemaal best kunnen.
Bart kende wel films waar spoken wraak namen op
mensen die hun rust verstoorden.
Spoken hielden niet van verandering en verbouwingen.

Voordat hij naar bed ging, keek hij nog even in de hal.
Hij rook schoonmaakmiddel en zag niets.
Gelukkig: geen spookachtige voeten, geen spook**machinist**.

Daan deed zijn ogen open.
Was hij wakker geworden van een geluid of was het
gewoon omdat hij moest plassen?
Daan stond al buiten zijn slaapkamer voordat hij
helemaal wakker was.
Voor hij zijn eigen vraag kon beantwoorden, stond hij al
bij de deur naar de hal.

De wc's waren nog steeds waar ze vroeger waren
geweest: tegenover de loketten.
Maar op de bank naast de loketten zat iemand!
Op de pas geverfde wand zag hij een schaduw: een
hoofd, schouders en een bovenlijf.
Daan knipperde met zijn ogen.
De gedaante was er, was er toen niet, verscheen weer
en verdween weer.
Daan hoefde opeens niet meer te plassen.
Nóóit meer, hoopte hij.

4. Schaduw op de muur

'Heb je trek in pannenkoeken?' vroeg oom Hans de
volgende ochtend.
'Dat is een stevige bodem voor een dag hard werken.'
Daan schudde zijn hoofd.
Hij voelde zich bij het wakker worden al niet lekker.
Hij moest oom Hans vertellen wat hij gezien had, maar
hij durfde niet.
Oom Hans zou hem uitlachen of hem misschien naar huis
sturen omdat hij gek was.

Na het ontbijt, dat voor Daan een droog geroosterd
broodje was, zei oom Hans:
'Ik heb dadelijk een vergadering voor het stoomfeest.
Daar is voor jou niks aan, dus blijf maar lekker hier.'

Daan was wel blij dat hij alleen was.
Bij daglicht was het station niet eng.
Er hing alleen een beetje een droevige sfeer.
Alsof het station nog altijd wachtte op treinen
en reizigers.
Daar was het tenslotte ook voor gebouwd, bedacht
Daan.

Daan stond op het **perron** en keek door de raampjes van
de hal naar binnen.

Hij zag witte muren, bruine houten banken, de loketten en de wc-deuren.

Op de tegelvloer was geen verf meer te zien.

Een wolk verschoof en opeens viel de zon schuin naar binnen.

Op de muur was een soort gouden raam van licht te zien.

En in dat raam zag Daan de schaduw van iemand die op de bank zat!

Een roerloze gedaante: een hoofd, nek en schouders.

Verder was er niets.

Midden in de nacht kon je spoken zien.

Dan kon je denken dat je droomde, omdat je half sliep.

Maar overdag, bij zonneschijn, was dat anders.

Daan wist direct wat hij moest doen: foto's maken.

Foto's waren het bewijs.

Hij kon ze aan oom Hans laten zien.

Daan haalde zijn fototoestel en maakte foto's van de schaduw op de muur.

Toen kon hij alleen nog maar wachten tot oom Hans terugkwam.

Oom Hans had de foto's in zijn computer geladen.

Hij zoemde in en een foto vulde het hele **computerscherm**.

Daan had vier foto's kunnen maken, daarna waren er weer wolken gekomen.

Maar vier foto's leverden genoeg bewijs.

Oom Hans draaide zich naar hem om en fronste.

Daan keek afwachtend terug.

Wat zou zijn oom zeggen?

'Dit is idioot, Daan, volkomen idioot,' zei oom Hans.

'Maar ik kan er niet onderuit, de foto's liegen niet.'

Daan zuchtte opgelucht.

Hij was blij dat zijn oom hem niet voor gek verklaarde.

Hij vertelde van de verfvoetstappen en de gedaante gisternacht.

Het was een hele opluchting om alles te kunnen vertellen.

Nu had hij wel trek in pannenkoeken.

'We zeggen hier natuurlijk niets over,' zei oom Hans.

'Ze zouden me in het dorp voor gek verklaren.'

'Hè?' zei Daan, 'maar in het dorp vertellen ze toch zelf dat verhaal?'
'Er is een verschil tussen spookverhálen en échte spoken,' zei oom Hans.
'We gaan eerst haarfijn uitzoeken wat er aan de hand is, want het kan nog altijd een grap zijn.'

Die avond bleven ze laat op en samen keken ze naar een film op dvd.
Toen de film was afgelopen, keek oom Hans op zijn horloge.
'Nou, zullen we dan maar?
Het is half één, dus de meeste spoken zullen wel wakker zijn.'
Hij grijnsde naar Daan, die een beetje beverig terug lachte.
Het einde van de film had hij niet eens gezien, hij had alleen maar aan het spook gedacht.
Er was écht een spook in het station.
En spoken kunnen vervelend zijn.

Daan bleef achter zijn oom lopen toen ze door het gangetje naar de hal gingen.
'Het is idioot,' zei oom Hans zacht.
'Ik loop hier alsof ik in een vreemd huis ben.
Ik heb nog nooit iets geks gezien sinds ik hier woon.
En nu zijn we opeens op spokenjacht en ik geloof niet eens in spoken.'

Ze waren bij de deur van de wachtkamer gekomen.
Oom Hans keek door het raam in de deur.
'Er is vast een heel goede uitleg te bedenken,' zei hij.
'Ik weet nog niet wat, maar er is vast iets beters
te bedenken.
Gewoon iets beters dan een ...'
Oom Hans slikte en zijn laatste woord kwam er schor
uit: '... spook.'

5. Een schreeuw in de nacht

Daan probeerde door het raam in de deur te kijken, maar zijn oom stond ervoor.
'Ziet u hem?' fluisterde hij.
Zijn oom knikte en deed een stapje opzij.
Daan wrong zich naast hem, ging op zijn tenen staan en keek.
De maan scheen naar binnen, net als die middag de zon had gedaan.
Maar de schaduw van vanmiddag was in het maanlicht een echt mens.
Nee, een bijna echt mens, want je kon door hem heen kijken.

Daans adem stokte in zijn keel en zweet maakte zijn handen warm en klam.
In de wachtkamer zat een man die uit brokjes licht en schaduw was opgebouwd.
De stralen van de maan sneden dwars door hem heen.
Hij was doorzichtig, als Daan hem recht aankeek, en dreigend zwart, als hij een beetje van opzij keek.
In de wachtkamer zat iemand die er niet meer was – die er niet meer mócht zijn, omdat hij dood was.

Oom Hans legde zijn hand op de deurknop, alsof hij de wachtkamer binnen wilde gaan.

Daan hield hem tegen door woest met zijn hoofd te schudden.

Ze slopen terug naar de woonkamer waar ze een tijdje stil tegenover elkaar zaten.

'Óngelooflijk,' zuchtte oom Hans.

'Wat nu?' vroeg Daan.

Oom Hans haalde zijn schouders op en zei: 'We kunnen hem vangen of wegjagen.'

Ze wisten geen van tweeën hoe je een spook moest vangen.

'Kssjt, wegwezen!' roepen, was vast geen goed plan.

'Weet je nog wat de baas van de supermarkt zei?' vroeg oom Hans.

'We mogen Struwen Bart niet storen.'

'Wat zou er dan gebeuren?' vroeg Daan.

'Geen idee,' zei oom Hans en hij kwam overeind.

'Maar misschien weet ik iets.

Spoken zijn nachtwezens die niet van licht houden.'

Voordat Daan iets kon zeggen, was oom Hans de kamer al uit.

Daan holde achter hem aan.

Oom Hans stond op de drempel van de wachtkamer.

Hij had zijn hand op het lichtknopje.

'Oom Hans,' hijgde Daan, 'niet ...'

Hij wilde zeggen dat hij Struwen Bart overdag had gezien.

Dit spook was dus niet zo bang voor licht.

Oom Hans deed het licht in de hal aan.
Even was alles helder wit, even zag Daan niets.
Toen deed oom Hans het licht weer uit en zag Daan
nog minder.
Het volgende moment deed oom Hans het licht weer aan.
Klik aan, klik uit: licht, donker, licht, donker.
Daan kreeg zwarte vlekken en spierwitte bolletjes voor
zijn ogen.
Toen klonk er een schreeuw door de nacht.

In de hal schreeuwde een spookachtige stem.
Het klonk als een groot, boos monster.
'Weg!' schreeuwde de stem, 'weg hier!'
Het leek opeens een paar graden kouder in de gang.
Daan maakte dat hij wegkwam.
Hij moest tastend zijn weg vinden, want hij zag niets.
Voor zijn ogen dansten de witte bolletjes en de zwarte
vlekken.
Achter zich hoorde hij de geschrokken ademhaling van
zijn oom.
Tenminste, hij hóópte dat het zijn oom was.

Het duurde lang voor Daans ogen weer gewoon alles
konden zien.
Het duurde nog langer voor hij naar bed durfde.
Daan deed die nacht bijna geen oog dicht.

6. Een ijzeren monster

Het was een prachtige dag.
Oom Hans schonk zijn zesde kop koffie in.
Hij zag eruit alsof hij ook niet geslapen had.
'Ik voel me als een gummetje,' zei hij, 'en straks komen
ze ...'
'Wie?' vroeg Daan.
'De organisatie van het stoomfeest.'
'Komen ze vandaag al?'
Oom Hans knikte.
'Vanmiddag brengen ze de **locomotief** en het rijtuig.'
'Te gek!' zei Daan.
Even was Struwen Bart weg uit zijn gedachten.

Daan zag een enorme **locomotief** voor zich, een
monster van ijzer.
De **locomotief** trok een houten wagon.
Daan kon de lucht van smeerolie en kolenvuur al bijna
ruiken.
De stem van oom Hans brak door zijn gedachten heen.
'Hoe raken we dat spook kwijt?
Morgen is het hier natuurlijk loeidruk, want iedereen wil
bij de feestelijke opening zijn en de Rosa zien.'
'Wie is Rosa?' vroeg Daan.
'Niet wie, wat,' zei oom Hans.
'De Rosa is de **locomotief** die de laatste rit op dit spoor

heeft gereden.'

'Oei,' zei Daan, 'dan zal Struwen Bart er wel de pest
in hebben.'

Oom Hans knikte.

'Ja, die wordt weer herinnerd aan de trein die hij
heeft gemist.

En een kwaad spook kunnen we niet gebruiken.'

De hele ochtend probeerden ze een manier te verzinnen
om van Struwen Bart af te komen.

Of om er in elk geval voor te zorgen dat hij niet kwaad
werd.

Toen de mensen van het stoomfeest kwamen,
wisten ze nog niets.

En toen die middag de trein kwam, wisten ze
nog steeds niets.

Tijd om nog iets te bedenken, had Daan toen niet meer.

Hij keek alleen nog naar de trein.

Wat was het een geweldig gezicht!

Langzaam reed de Rosa het station binnen.

Hij werd getrokken door een **rangeertrein**.

Geen stoom, geen kolenvuur, maar wel enorme wielen
en allerlei bewegende stangen.

De **locomotief** was een monster van staal.

'Waarom wordt de Rosa getrokken?' vroeg Daan.

'De **locomotief** is te oud,' legde zijn oom uit.

'Hij kan niet meer uit zichzelf rijden, maar dat geeft niks.

Morgen wordt de stoomketel gestookt en dan lijkt het
net of hij wél kan rijden.
Wacht maar af.'
'Mogen we erin?' vroeg Daan.
'Als straks iedereen weg is, gaan wij samen stiekem
kijken,' beloofde oom Hans.

Het rijtuig werd aan het eind van de middag gebracht.
Toen de **rangeertrein** weg was, zag het er allemaal heel
echt uit.
Het leek of je met een tijdmachine naar honderd jaar
geleden was gegaan.
'Zullen we dan maar naar binnen gaan?' vroeg oom Hans
toen iedereen weg was.
Daan mocht als eerste de **cabine** van de Rosa in.
Hij keek naar de hendels, de knoppen, deurtjes en
kijkglazen.
Wat doodzonde dat de Rosa niet meer kon rijden ...
En toen dacht hij opeens weer aan Struwen Bart.
'We moeten nog iets bedenken voor ...' zei hij.
Oom Hans knikte.
'Voor Struwen Bart, ik weet het, maar ik heb
geen idee wát.
We moeten er het beste maar van hopen.'
Daan knikte, maar hij had er niet veel vertrouwen in.

7. De verdwijning van de Rosa

Daan werd wakker uit een droom over treinen.
Iemand schudde aan zijn schouder.
Struwen Bart! dacht hij geschrokken.
Maar het was oom Hans die naast hem geknield zat.
Hij legde een vinger op zijn mond en fluisterde: 'Er
gebeurt iets in de hal.'
'Bart?' fluisterde Daan terug.
Zijn oom knikte.
'Denk je dat je mee durft te gaan kijken?'
'Ja.'

Ze slopen door het gangetje naar de deur van de hal
en samen loerden ze naar binnen.
Het was een bewolkte nacht met erg weinig licht.
Bij de grote deur naar het **perron** bewoog iets.
Het leek of de deur op een kiertje ging.
Glipte het spook van Struwen Bart het **perron** op?
Oom Hans maakte een gebaar.
Ze holden op hun tenen de gang uit, naar de zijdeur.
In de kou van de herfstnacht liepen ze om het
stationsgebouw heen.
Op het **perron** was geen beweging meer te zien.
De Rosa stond stil op de rails.
Zijn grote, ijzeren stoompijp stond rechtop in het donker.
De wielen en de **aandrijfstangen** glommen dof.

Waar was Struwen Bart?

Daan keek en keek, maar zag niets.

Hij begon het erg koud te krijgen.

Plotseling voelde hij een prik in zijn zij.

Oom Hans wees naar de **cabine** van de Rosa.

Daar, op het trappetje naar boven, bewoog iets.

Iets donkers glipte naar binnen.

Een paar wolken schoven opzij.

Plotseling kon Daan alles zien alsof er even een lamp
werd aangeknipt.

De Rosa leek te kreunen.

Ging er een schok door de enorme **locomotief**?

Een holle stem klonk door de nacht.

'Weg!' schreeuwde de stem, 'weg hier!'

Er kwam een sliertje stoom uit de pijp van de Rosa.

De **aandrijfstangen** piepten en kraakten, de wielen van
de Rosa kwamen in beweging.

'Weg!' riep de stem nog een keer, 'eindelijk weg!'

Toen was er opeens overal stoom.

De pijp spuugde een enorme rookwolk uit.

Rond de wielen hing damp, de zuigerstangen begonnen
zuchtend heen en weer te glijden.

Het geluid van een stoomfluit galmde door de nacht.

'Hij rijdt!' zei oom Hans ademloos, 'de Rosa rijdt, maar
dat kán helemaal niet!'

Het kon niet, maar het was wel zo.

In de **cabine** zagen ze nu duidelijk een man.
Hij droeg een ouderwets uniform.
Met zijn onderarm leunde hij op de onderkant van
het zijraampje.
Hij had zijn hoofd half naar buiten gestoken.
En met nog één ruk aan de stoomfluit liet hij de trein
vaart maken.
Puffend, dampend, krakend en kreunend rolde de Rosa
over de rails.
Een paar minuten later was de trein verdwenen.

8. Dit gelooft geen mens

Ze stonden in de hal, met alle lichten aan.
Er was geen schaduw meer te zien op de muur.
Er was geen boze stem die 'weg!' riep.
Er was niets dan een lege hal met houten banken.
Struwen Bart was er niet meer.
Ze wisten het allebei: Bart was met de Rosa weggereden.
'En de Rosa kón helemaal niet rijden,' zei Daan.
'Het spook van een oude **machinist** dat in deze hal
wacht, kan óók helemaal niet,' zei oom Hans.
'Het kan niet en het is toch gebeurd.
Het **perron** is leeg, de Rosa en de wagon
zijn verdwenen.'

'De laatste trein,' zei Daan langzaam.
'Ik denk dat ik het begrijp.
Struwen Bart herkende de Rosa natuurlijk meteen.
Hij heeft zijn kans gegrepen om toch nog met de Rosa
weg te rijden.'
'Ik denk het ook,' zei oom Hans.
'De Rosa heeft hem rust gegeven.
Hij hoeft nooit meer in dit station op de laatste trein
te wachten.'

Ze gingen naar de woonkamer om warme chocola
te drinken bij de kachel.

'Wat moeten we morgen vertellen?' vroeg oom Hans.
Daan nam een slok en zei: 'De Rosa staat er morgen
natuurlijk weer gewoon.
Dit is allemaal maar een raar spookavontuur.'
'Ik hoop dat je gelijk hebt,' zei oom Hans.
'En ik hoop ook dat ik vannacht nog een oog dichtdoe.'
'Ik wel, denk ik,' zei Daan, 'want het spookt hier nu
niet meer.'

Daan had gelijk: hij sliep als een roos.
Maar de volgende ochtend bleek dat hij het toch ook
mis had.
De Rosa en het rijtuig waren niet terug.
De rails lagen leeg langs het **perron**.

Oom Hans praatte met de mensen van het stoomfeest.
Hij praatte met de politie, hij had zelfs een gesprek met
de burgemeester.
Tegen iedereen vertelde hij hetzelfde: ze hadden de hele
nacht geslapen.
Ze hadden niets gehoord, niets gemerkt van de diefstal.
'Maar de Rosa kan toch niet wég zijn?' zei oom Hans.
'Een complete trein verdwijnt toch niet zomaar?'

Daan zag dat niemand hem geloofde, maar hij begreep
heel goed waarom zijn oom loog.
Niemand zou geloven wat er echt gebeurd was.
Ze zouden hen voor gek uitmaken.

Na de politie en de burgemeester kwam de rest van
Eemsum langs.
Iedereen wilde met eigen ogen zien dat het spoor
echt leeg was.

De baas van de supermarkt kwam met een grijns op
oom Hans af.
'Als je niet beter wist, zou je zeggen dat het Struwen
Bart was,' zei hij.
'Struwen Bart die met de laatste trein is weggereden.'
'Tja...' zei oom Hans.
De baas van de supermarkt grinnikte.
'Weet je dat Struwen Bart nooit bestaan heeft?' zei hij.
'We hebben dat verhaal met z'n allen verzonnen.
We wilden geen slappeling in ons **stationnetje** hebben.'
Daan keek zijn oom verbaasd aan, maar die zei niets.
'In een bangerik hadden we geen zin,' zei de
supermarktbaas.
'Jij hebt je niet door een verhaaltje laten wegjagen.
Daarom vonden we dat jij in het station mocht wonen.
Het zal me benieuwen waar ze die trein terugvinden.
En wie de grappenmaker was, die hem heeft
meegenomen.'

Maar de Rosa werd niet teruggevonden.
De trein en het rijtuig waren voorgoed verdwenen.
En Daan en zijn oom hielden er hun mond over, maar ze
wisten zeker dat Struwen Bart wél echt had bestaan.

Ze hadden hem tenslotte met eigen ogen zien wegrijden. En ze waren ervan overtuigd dat Bart ergens in de wereld van de spoken nog steeds op zijn laatste trein reed.

Lees ook de andere boeken uit deze serie.

En de winnaar is ...

Elisabeth Mollema

Vreemde smokkelaars

Christel van Bourgondië

Het raadsel
van de rode ruit

Monique van der Zanden

Superheld!

Trude de Jong

Tips voor ouders

Gefeliciteerd!

Uw kind is dyslectisch en heeft dit boek uitgekozen om te
gaan lezen. Dat is al een hele prestatie!
Want voor kinderen met dyslexie is lezen meestal niet leuk.
Zij moeten veel meer en vaker oefenen om het lezen onder
de knie te krijgen. En alle boeken die zij ooit willen lezen, zijn
voor hen moeilijker dan voor een gemiddelde lezer.

Wat kinderen met dyslexie helpt is:

* **lezen, lezen en nog eens lezen!**

En dat is alleen maar leuk als ze:

* **leuke boeken lezen op een niveau dat voor
hen geschikt is.**

U, als ouders of begeleiders kunt deze kinderen helpen door:

* **veel leuke verhalen voor te lezen**
* **samen te lezen (bijvoorbeeld om de beurt een bladzijde)**
* **ze te laten luisteren naar leuke luisterboeken**
* **het kind altijd aan te moedigen om te lezen**

Lezen is een feest. Naast alle dingen die uw kind leuk
vindt om te doen, is altijd plaats om samen tien minuten
te lezen, bijvoorbeeld tien minuten later naar bed en
eerst nog even samen lezen!

Hoe werkt Zoeklicht Dyslexie?

1. Luister naar de audio-cd en kijk naar de eerste bladzijden van het boek. *Op de cd worden de hoofdpersonen voorgesteld en worden de moeilijke woorden uit het verhaal voorgelezen.*

2. Luister naar het eerste stukje van het verhaal dat op de audio-cd wordt voorgelezen. *Je weet dan al een beetje hoe het verhaal gaat en als het spannend wordt, ga je zelf verder met lezen.*

3. Ga het verhaal nu lezen. *Als je vetgedrukte woorden tegenkomt, dan weet je dat dat een moeilijk woord is dat op de flap staat. Blijven deze woorden heel moeilijk, luister dan nog een keer naar het eerste stukje van de audio-cd waarop ze worden voorgelezen.*

4. Alle boeken uit de serie Zoeklicht Dyslexie hebben een speciale letter voor dyslectische kinderen. Zo wordt lezen nog fijner.

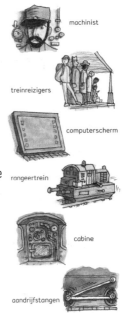

machinist

treinreizigers

computerscherm

rangeertrein

cabine

aandrijfstangen

Naam: *Bies van Ede*

Ik woon met: *Loekie en Jeroen.*

Dit doe ik het liefst: *verhalen en liedjes verzinnen.*

Dit eet ik het liefst: *Indonesisch.*

Het leukste boek vind ik: *een stomme vraag. Er is niet een "leukste" boek.*

Mijn grootste wens is: *dat mag je niet verklappen, dan komt hij zeker niet uit.*

Naam: *Camila Fialkowski*

Ik woon met: *Gerrit en twee poezen, Boris & Beppie.*

Dit doe ik het liefst: *tekenen en achterop de motor meerijden.*

Dit eet ik het liefst: *lasagne (zelfgemaakt) en garnalenkroketjes uit Damme (België).*

Het leukste boek vind ik: *Pas op in het bos.*

Mijn grootste wens is: *oud worden (nog ouder) met Gerrit.*

machinist

treinreizigers

computerscherm

rangeertrein

cabine

aandrijfstangen

 SLOTERVAART

Pieter Callandlaan 87 **b**   **1065 KK** Amsterdam
Tel. 615 05 14
slvovv@oba.nl